A. Color the numbers between 10 and 20 red. Color the numbers between 80 and 90 green.

1	2	3	4	5	6	7	8	9	10
11	12	13	14	15	16	17	18	19	20
21	22	23	24	25	26	27	28	29	30
31	32	33	34	35	36	37	38	39	40
41	42	43	44	45	46	47	48	49	50
51	52	53	54	55	56	57	58	59	60
61	62	63	64	65	66	67	68	69	70
71	72	73	74	75	76	77	78	79	80
81	82	83	84	85	86	87	88	89	90
91	92	93	94	95	96	97	98	99	100

Are any numbers colored with both colors?_____

Name them:______________________________

B. Color the numbers between 23 and 27, between 33 and 37, and between 43 and 47.

1	2	3	4	5	6	7	8	9	10
11	12	13	14	15	16	17	18	19	20
21	22	23	24	25	26	27	28	29	30
31	32	33	34	35	36	37	38	39	40
41	42	43	44	45	46	47	48	49	50
51	52	53	54	55	56	57	58	59	60
61	62	63	64	65	66	67	68	69	70
71	72	73	74	75	76	77	78	79	80
81	82	83	84	85	86	87	88	89	90
91	92	93	94	95	96	97	98	99	100

Name the shape you colored:

For each problem, the three dominoes should have an equal number of dots.
Draw the dominoes in the spaces below.
Write the number above each domino.
Are there more ways?

EXAMPLE

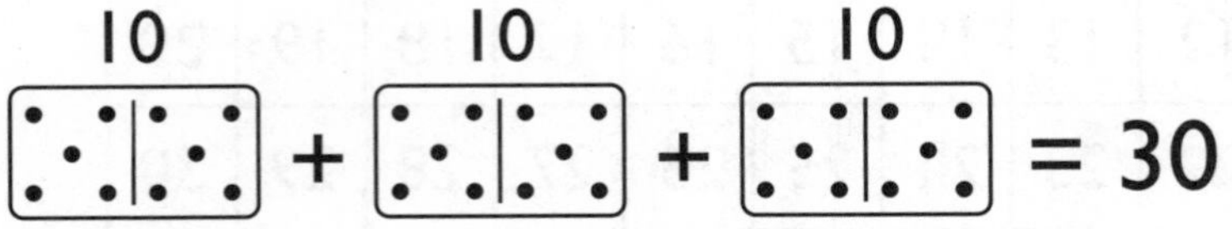

___ + ___ + ___ = 21

___ + ___ + ___ = 12

___ + ___ + ___ = 15

___ + ___ + ___ = 18

___ + ___ + ___ = 24

___ + ___ + ___ = 9

A. Color the numbers less than 25 blue. Color the numbers greater than 75 green.

1	2	3	4	5	6	7	8	9	10
11	12	13	14	15	16	17	18	19	20
21	22	23	24	25	26	27	28	29	30
31	32	33	34	35	36	37	38	39	40
41	42	43	44	45	46	47	48	49	50
51	52	53	54	55	56	57	58	59	60
61	62	63	64	65	66	67	68	69	70
71	72	73	74	75	76	77	78	79	80
81	82	83	84	85	86	87	88	89	90
91	92	93	94	95	96	97	98	99	100

Are any numbers colored with both colors?_____

Name them:______________________

B. Color the numbers between 32 and 40 and between 42 and 50.

1	2	3	4	5	6	7	8	9	10
11	12	13	14	15	16	17	18	19	20
21	22	23	24	25	26	27	28	29	30
31	32	33	34	35	36	37	38	39	40
41	42	43	44	45	46	47	48	49	50
51	52	53	54	55	56	57	58	59	60
61	62	63	64	65	66	67	68	69	70
71	72	73	74	75	76	77	78	79	80
81	82	83	84	85	86	87	88	89	90
91	92	93	94	95	96	97	98	99	100

Name the shape you colored:

For each problem, both dominoes should have an equal number of dots.
Draw the dominoes in the spaces below.
Write the number next to each domino.
Are there more ways?

EXAMPLE

4
+ 4
8

+	+	+	+
20	6	16	8

+	+	+	+	+
10	4	14	18	12

A. Color the numbers with 0 yellow.
Color the numbers with 5 blue.

1	2	3	4	5	6	7	8	9	10
11	12	13	14	15	16	17	18	19	20
21	22	23	24	25	26	27	28	29	30
31	32	33	34	35	36	37	38	39	40
41	42	43	44	45	46	47	48	49	50
51	52	53	54	55	56	57	58	59	60
61	62	63	64	65	66	67	68	69	70
71	72	73	74	75	76	77	78	79	80
81	82	83	84	85	86	87	88	89	90
91	92	93	94	95	96	97	98	99	100

Are any numbers colored with both colors?_____

Name them:___________________________

B. Color the numbers between 56 and 61, between 86 and 91, between 66 and 71, and between 76 and 81.

1	2	3	4	5	6	7	8	9	10
11	12	13	14	15	16	17	18	19	20
21	22	23	24	25	26	27	28	29	30
31	32	33	34	35	36	37	38	39	40
41	42	43	44	45	46	47	48	49	50
51	52	53	54	55	56	57	58	59	60
61	62	63	64	65	66	67	68	69	70
71	72	73	74	75	76	77	78	79	80
81	82	83	84	85	86	87	88	89	90
91	92	93	94	95	96	97	98	99	100

Name the shape you colored:

How many ways can dominoes make sums greater than 23?
Draw the dominoes in the spaces below.
Write the number above each domino.
Are there more ways?

EXAMPLE

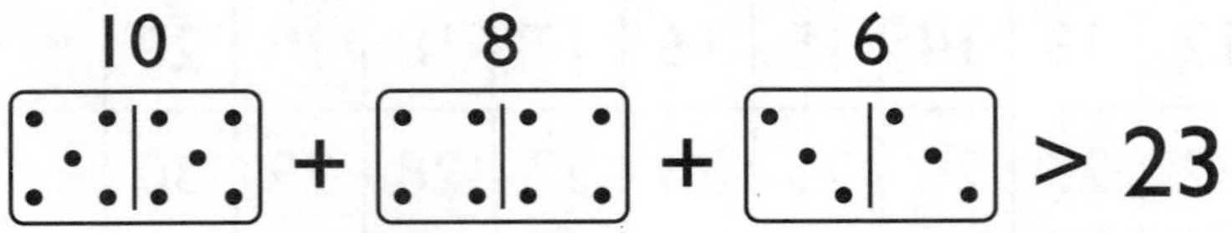

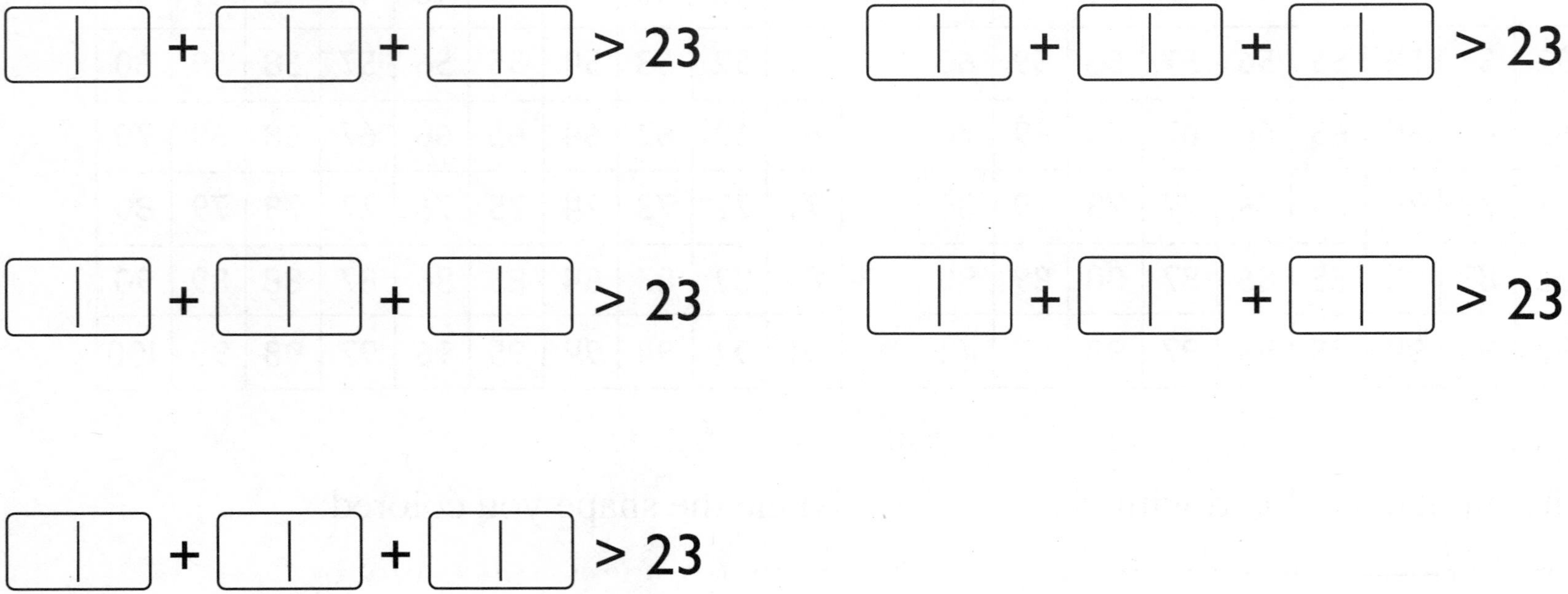

A. Color the numbers with 2 red.
Color the numbers with 8 blue.

1	2	3	4	5	6	7	8	9	10
11	12	13	14	15	16	17	18	19	20
21	22	23	24	25	26	27	28	29	30
31	32	33	34	35	36	37	38	39	40
41	42	43	44	45	46	47	48	49	50
51	52	53	54	55	56	57	58	59	60
61	62	63	64	65	66	67	68	69	70
71	72	73	74	75	76	77	78	79	80
81	82	83	84	85	86	87	88	89	90
91	92	93	94	95	96	97	98	99	100

Are any numbers colored with both colors?_____

Name them:___________________________

B. Color the numbers between 64 and 70, between 34 and 37, between 24 and 26, between 54 and 59, and between 44 and 48.

1	2	3	4	5	6	7	8	9	10
11	12	13	14	15	16	17	18	19	20
21	22	23	24	25	26	27	28	29	30
31	32	33	34	35	36	37	38	39	40
41	42	43	44	45	46	47	48	49	50
51	52	53	54	55	56	57	58	59	60
61	62	63	64	65	66	67	68	69	70
71	72	73	74	75	76	77	78	79	80
81	82	83	84	85	86	87	88	89	90
91	92	93	94	95	96	97	98	99	100

Name the shape you colored:

How many ways can dominoes make less than 10?
Draw the dominoes in the spaces below.
Write the number above each domino.
Are there more ways?

EXAMPLE

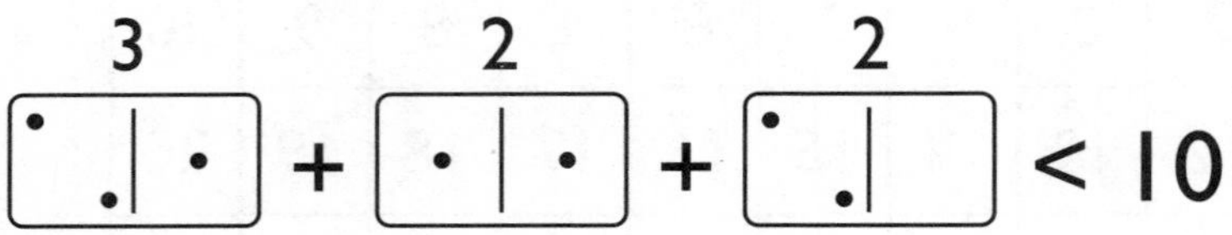

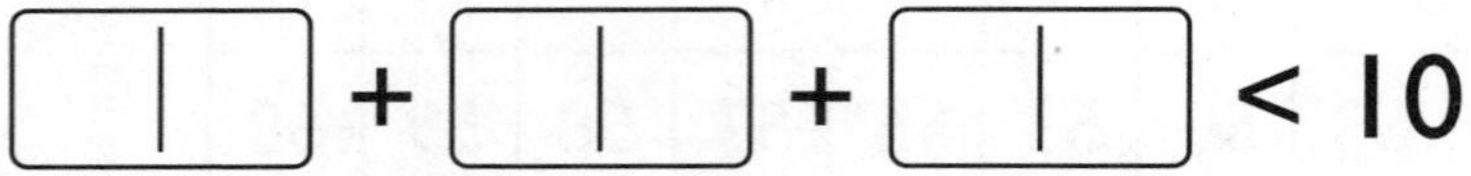

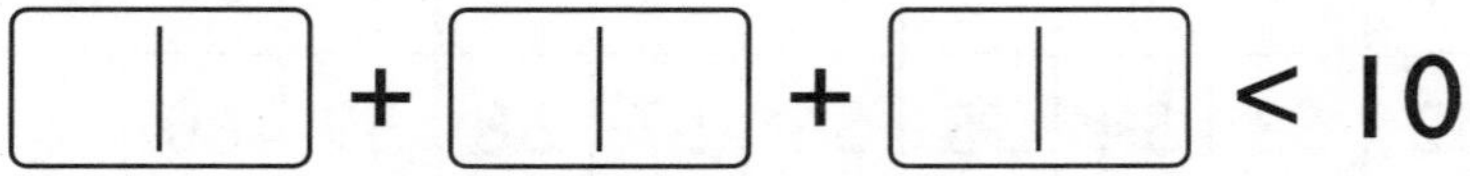

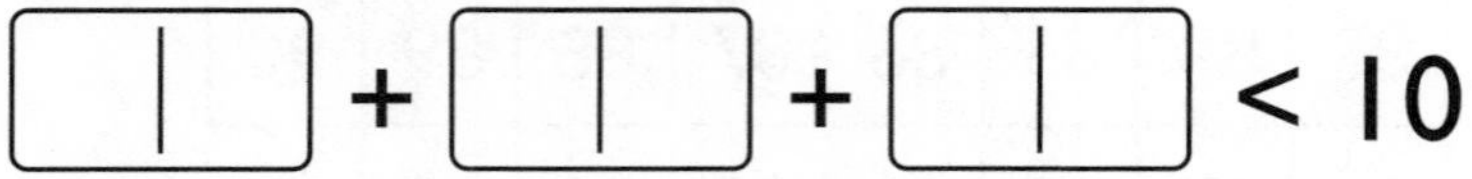

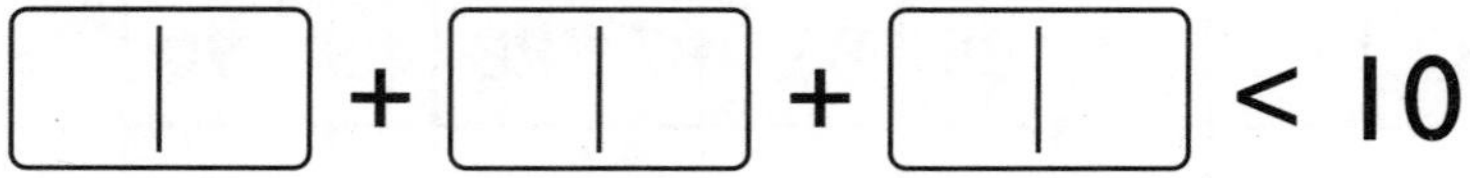

A. Color the even numbers blue. Color the 1-digit numbers yellow.

1	2	3	4	5	6	7	8	9	10
11	12	13	14	15	16	17	18	19	20
21	22	23	24	25	26	27	28	29	30
31	32	33	34	35	36	37	38	39	40
41	42	43	44	45	46	47	48	49	50
51	52	53	54	55	56	57	58	59	60
61	62	63	64	65	66	67	68	69	70
71	72	73	74	75	76	77	78	79	80
81	82	83	84	85	86	87	88	89	90
91	92	93	94	95	96	97	98	99	100

Are any numbers colored with both colors?_____

Name them:____________________________

B. Color the numbers between 26 and 31, between 44 and 51, between 62 and 71, between 8 and 11, between 36 and 41, between 18 and 21, between 54 and 61, and between 72 and 101.

1	2	3	4	5	6	7	8	9	10
11	12	13	14	15	16	17	18	19	20
21	22	23	24	25	26	27	28	29	30
31	32	33	34	35	36	37	38	39	40
41	42	43	44	45	46	47	48	49	50
51	52	53	54	55	56	57	58	59	60
61	62	63	64	65	66	67	68	69	70
71	72	73	74	75	76	77	78	79	80
81	82	83	84	85	86	87	88	89	90
91	92	93	94	95	96	97	98	99	100

Name the shape you colored:

How many ways can dominoes make 18?
Draw the dominoes in the spaces below.
Write the number above each domino.
Are there more ways?

$\square + \square + \square = 18$ $\square + \square + \square = 18$

$\square + \square + \square = 18$ $\square + \square + \square = 18$

$\square + \square + \square = 18$ $\square + \square + \square = 18$

$\square + \square + \square = 18$ $\square + \square + \square = 18$

A. Color the 2-digit numbers green.
Color the 1-digit numbers blue.

1	2	3	4	5	6	7	8	9	10
11	12	13	14	15	16	17	18	19	20
21	22	23	24	25	26	27	28	29	30
31	32	33	34	35	36	37	38	39	40
41	42	43	44	45	46	47	48	49	50
51	52	53	54	55	56	57	58	59	60
61	62	63	64	65	66	67	68	69	70
71	72	73	74	75	76	77	78	79	80
81	82	83	84	85	86	87	88	89	90
91	92	93	94	95	96	97	98	99	100

Are any numbers colored with both colors?_____

Name them:_______________________

B. Color the numbers between 70 and 91.

1	2	3	4	5	6	7	8	9	10
11	12	13	14	15	16	17	18	19	20
21	22	23	24	25	26	27	28	29	30
31	32	33	34	35	36	37	38	39	40
41	42	43	44	45	46	47	48	49	50
51	52	53	54	55	56	57	58	59	60
61	62	63	64	65	66	67	68	69	70
71	72	73	74	75	76	77	78	79	80
81	82	83	84	85	86	87	88	89	90
91	92	93	94	95	96	97	98	99	100

Name the shape you colored:

How many ways can dominoes make 17?
Draw the dominoes in the spaces below.
Write the number above each domino.
Are there more ways?

[|] + [|] + [|] = 17	[|] + [|] + [|] = 17
[|] + [|] + [|] = 17	[|] + [|] + [|] = 17
[|] + [|] + [|] = 17	[|] + [|] + [|] = 17
[|] + [|] + [|] = 17	[|] + [|] + [|] = 17

A. Color the odd numbers green. Color the numbers greater than 99 blue:

1	2	3	4	5	6	7	8	9	10
11	12	13	14	15	16	17	18	19	20
21	22	23	24	25	26	27	28	29	30
31	32	33	34	35	36	37	38	39	40
41	42	43	44	45	46	47	48	49	50
51	52	53	54	55	56	57	58	59	60
61	62	63	64	65	66	67	68	69	70
71	72	73	74	75	76	77	78	79	80
81	82	83	84	85	86	87	88	89	90
91	92	93	94	95	96	97	98	99	100

Are any numbers colored with both colors?_____

Name them:____________________________

B. Color the numbers greater than 10.

1	2	3	4	5	6	7	8	9	10
11	12	13	14	15	16	17	18	19	20
21	22	23	24	25	26	27	28	29	30
31	32	33	34	35	36	37	38	39	40
41	42	43	44	45	46	47	48	49	50
51	52	53	54	55	56	57	58	59	60
61	62	63	64	65	66	67	68	69	70
71	72	73	74	75	76	77	78	79	80
81	82	83	84	85	86	87	88	89	90
91	92	93	94	95	96	97	98	99	100

Name the shape you colored:

How many ways can dominoes make 16?
Draw the dominoes in the spaces below.
Write the number above each domino.
Are there more ways?

$\square + \square + \square = 16$ $\square + \square + \square = 16$

$\square + \square + \square = 16$ $\square + \square + \square = 16$

$\square + \square + \square = 16$ $\square + \square + \square = 16$

$\square + \square + \square = 16$

A. Color the numbers with both a 3 and an 8 blue. Color the numbers with 8 yellow.

1	2	3	4	5	6	7	8	9	10
11	12	13	14	15	16	17	18	19	20
21	22	23	24	25	26	27	28	29	30
31	32	33	34	35	36	37	38	39	40
41	42	43	44	45	46	47	48	49	50
51	52	53	54	55	56	57	58	59	60
61	62	63	64	65	66	67	68	69	70
71	72	73	74	75	76	77	78	79	80
81	82	83	84	85	86	87	88	89	90
91	92	93	94	95	96	97	98	99	100

Are any numbers colored with both colors?_____

Name them:______________________________

B. Color the 2-digit numbers with both digits the same.

1	2	3	4	5	6	7	8	9	10
11	12	13	14	15	16	17	18	19	20
21	22	23	24	25	26	27	28	29	30
31	32	33	34	35	36	37	38	39	40
41	42	43	44	45	46	47	48	49	50
51	52	53	54	55	56	57	58	59	60
61	62	63	64	65	66	67	68	69	70
71	72	73	74	75	76	77	78	79	80
81	82	83	84	85	86	87	88	89	90
91	92	93	94	95	96	97	98	99	100

Name the shape you colored:

How many ways can dominoes make 15?
Draw the dominoes in the spaces below.
Write the number above each domino.
Are there more ways?

[|] + [|] + [|] = 15   [|] + [|] + [|] = 15

[|] + [|] + [|] = 15   [|] + [|] + [|] = 15

[|] + [|] + [|] = 15   [|] + [|] + [|] = 15

[|] + [|] + [|] = 15

A. Color the numbers less than 50 red. Color the numbers greater than 50 green.

1	2	3	4	5	6	7	8	9	10
11	12	13	14	15	16	17	18	19	20
21	22	23	24	25	26	27	28	29	30
31	32	33	34	35	36	37	38	39	40
41	42	43	44	45	46	47	48	49	50
51	52	53	54	55	56	57	58	59	60
61	62	63	64	65	66	67	68	69	70
71	72	73	74	75	76	77	78	79	80
81	82	83	84	85	86	87	88	89	90
91	92	93	94	95	96	97	98	99	100

Are any numbers colored with both colors?_____

Name them:____________________________

B. Color the numbers between 63 and 69, between 83 and 89, between 53 and 59, between 73 and 79, and between 43 and 49.

1	2	3	4	5	6	7	8	9	10
11	12	13	14	15	16	17	18	19	20
21	22	23	24	25	26	27	28	29	30
31	32	33	34	35	36	37	38	39	40
41	42	43	44	45	46	47	48	49	50
51	52	53	54	55	56	57	58	59	60
61	62	63	64	65	66	67	68	69	70
71	72	73	74	75	76	77	78	79	80
81	82	83	84	85	86	87	88	89	90
91	92	93	94	95	96	97	98	99	100

Name the shape you colored:

How many ways can dominoes make 14?
Draw the dominoes in the spaces below.
Write the number above each domino.
Are there more ways?

[|] + [|] + [|] = 14   [|] + [|] + [|] = 14

[|] + [|] + [|] = 14   [|] + [|] + [|] = 14

[|] + [|] + [|] = 14   [|] + [|] + [|] = 14

A. Color the numbers with a 5 or a 3 blue.
Color the numbers with both a 9 and a 5 yellow.

1	2	3	4	5	6	7	8	9	10
11	12	13	14	15	16	17	18	19	20
21	22	23	24	25	26	27	28	29	30
31	32	33	34	35	36	37	38	39	40
41	42	43	44	45	46	47	48	49	50
51	52	53	54	55	56	57	58	59	60
61	62	63	64	65	66	67	68	69	70
71	72	73	74	75	76	77	78	79	80
81	82	83	84	85	86	87	88	89	90
91	92	93	94	95	96	97	98	99	100

Are any numbers colored with both colors?_____

Name them:______________________________

B. Color the numbers with both 6 and 7.
Color the number with 2 sixes.
Color the number with 2 sevens.

1	2	3	4	5	6	7	8	9	10
11	12	13	14	15	16	17	18	19	20
21	22	23	24	25	26	27	28	29	30
31	32	33	34	35	36	37	38	39	40
41	42	43	44	45	46	47	48	49	50
51	52	53	54	55	56	57	58	59	60
61	62	63	64	65	66	67	68	69	70
71	72	73	74	75	76	77	78	79	80
81	82	83	84	85	86	87	88	89	90
91	92	93	94	95	96	97	98	99	100

Name the shape you colored:

How many ways can dominoes make 13?
Draw the dominoes in the spaces below.
Write the number above each domino.
Are there more ways?

___ + ___ + ___ = 13   ___ + ___ + ___ = 13

___ + ___ + ___ = 13   ___ + ___ + ___ = 13

___ + ___ + ___ = 13   ___ + ___ + ___ = 13

A. Color the numbers with 3 as a digit red. Color the numbers with 9 as a digit yellow.

1	2	3	4	5	6	7	8	9	10
11	12	13	14	15	16	17	18	19	20
21	22	23	24	25	26	27	28	29	30
31	32	33	34	35	36	37	38	39	40
41	42	43	44	45	46	47	48	49	50
51	52	53	54	55	56	57	58	59	60
61	62	63	64	65	66	67	68	69	70
71	72	73	74	75	76	77	78	79	80
81	82	83	84	85	86	87	88	89	90
91	92	93	94	95	96	97	98	99	100

Are any numbers colored with both colors?_____

Name them:_________________________

B. Color the numbers less than 50 with the sum of the digits equal to 5.

1	2	3	4	5	6	7	8	9	10
11	12	13	14	15	16	17	18	19	20
21	22	23	24	25	26	27	28	29	30
31	32	33	34	35	36	37	38	39	40
41	42	43	44	45	46	47	48	49	50
51	52	53	54	55	56	57	58	59	60
61	62	63	64	65	66	67	68	69	70
71	72	73	74	75	76	77	78	79	80
81	82	83	84	85	86	87	88	89	90
91	92	93	94	95	96	97	98	99	100

Name the shape you colored:

How many ways can dominoes make 12?
Draw the dominoes in the spaces below.
Write the number above each domino.
Are there more ways?

___ + ___ + ___ = 12

___ + ___ + ___ = 12

___ + ___ + ___ = 12

___ + ___ + ___ = 12

___ + ___ + ___ = 12

A. Color the numbers between 35 and 53 red. Color the numbers between 48 and 84 blue.

1	2	3	4	5	6	7	8	9	10
11	12	13	14	15	16	17	18	19	20
21	22	23	24	25	26	27	28	29	30
31	32	33	34	35	36	37	38	39	40
41	42	43	44	45	46	47	48	49	50
51	52	53	54	55	56	57	58	59	60
61	62	63	64	65	66	67	68	69	70
71	72	73	74	75	76	77	78	79	80
81	82	83	84	85	86	87	88	89	90
91	92	93	94	95	96	97	98	99	100

Are any numbers colored with both colors?_____

Name them:______________________

B. Color the numbers less than 31.

1	2	3	4	5	6	7	8	9	10
11	12	13	14	15	16	17	18	19	20
21	22	23	24	25	26	27	28	29	30
31	32	33	34	35	36	37	38	39	40
41	42	43	44	45	46	47	48	49	50
51	52	53	54	55	56	57	58	59	60
61	62	63	64	65	66	67	68	69	70
71	72	73	74	75	76	77	78	79	80
81	82	83	84	85	86	87	88	89	90
91	92	93	94	95	96	97	98	99	100

Name the shape you colored:

How many ways can dominoes make 11?
Draw the dominoes in the spaces below.
Write the number above each domino.
Are there more ways?

EXAMPLE

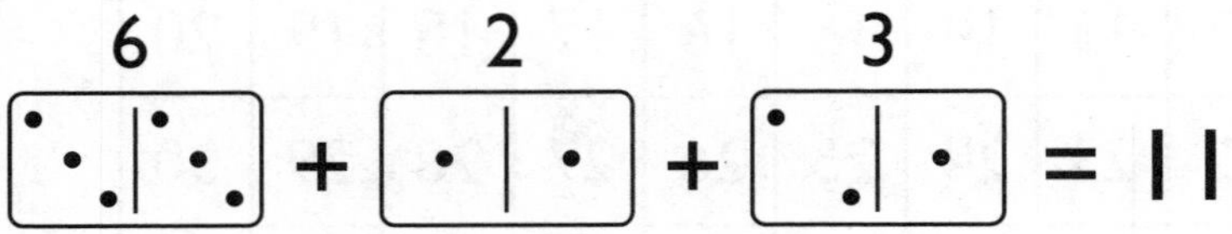

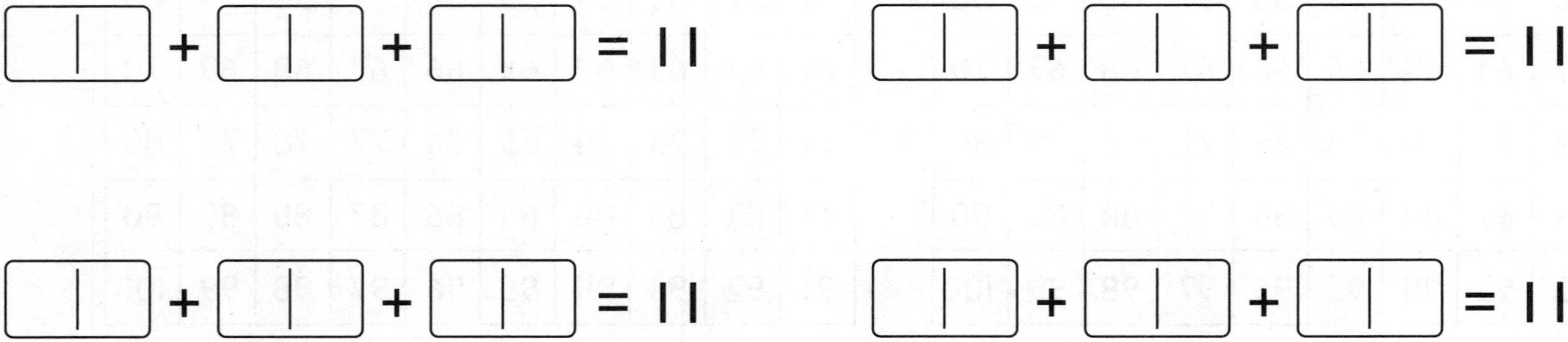

A. Color the even numbers yellow. Color the numbers with 7 in the ones place green.

1	2	3	4	5	6	7	8	9	10
11	12	13	14	15	16	17	18	19	20
21	22	23	24	25	26	27	28	29	30
31	32	33	34	35	36	37	38	39	40
41	42	43	44	45	46	47	48	49	50
51	52	53	54	55	56	57	58	59	60
61	62	63	64	65	66	67	68	69	70
71	72	73	74	75	76	77	78	79	80
81	82	83	84	85	86	87	88	89	90
91	92	93	94	95	96	97	98	99	100

Are any numbers colored with both colors?_____

Name them:______________________________

B. Color the numbers between 43 and 48, between 63 and 68, and between 53 and 58.

1	2	3	4	5	6	7	8	9	10
11	12	13	14	15	16	17	18	19	20
21	22	23	24	25	26	27	28	29	30
31	32	33	34	35	36	37	38	39	40
41	42	43	44	45	46	47	48	49	50
51	52	53	54	55	56	57	58	59	60
61	62	63	64	65	66	67	68	69	70
71	72	73	74	75	76	77	78	79	80
81	82	83	84	85	86	87	88	89	90
91	92	93	94	95	96	97	98	99	100

Name the shape you colored:

How many ways can dominoes make 10?
Draw the dominoes in the spaces below.
Write the number above each domino.
Are there more ways?

EXAMPLE

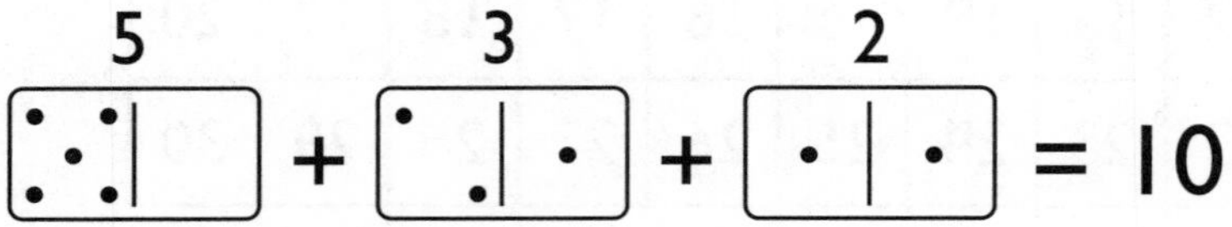
5
3
2
+
+
= 10

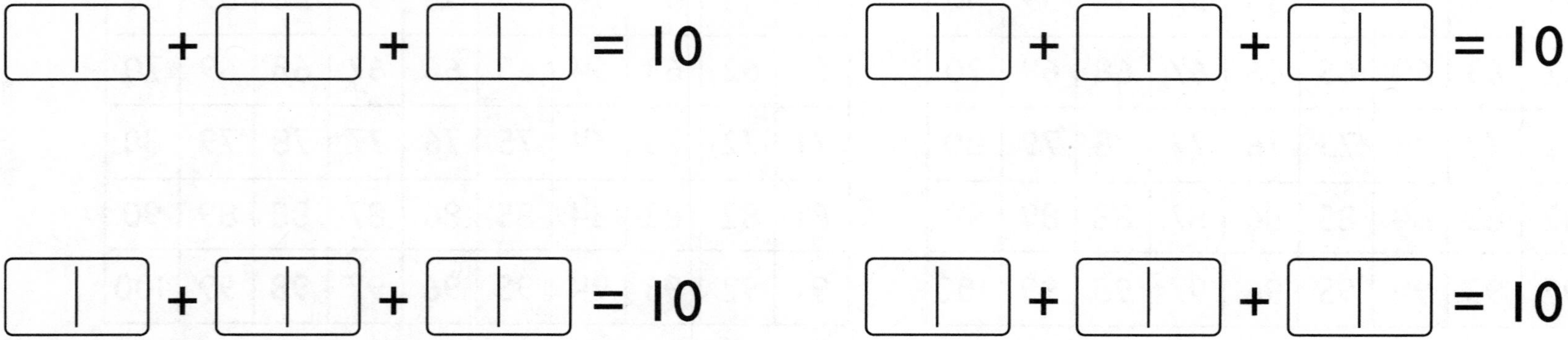
+
+
= 10
+
+
= 10
+
+
= 10
+
+
= 10

A. Color the 1-digit numbers red. Color the numbers with more than 1 digit green.

1	2	3	4	5	6	7	8	9	10
11	12	13	14	15	16	17	18	19	20
21	22	23	24	25	26	27	28	29	30
31	32	33	34	35	36	37	38	39	40
41	42	43	44	45	46	47	48	49	50
51	52	53	54	55	56	57	58	59	60
61	62	63	64	65	66	67	68	69	70
71	72	73	74	75	76	77	78	79	80
81	82	83	84	85	86	87	88	89	90
91	92	93	94	95	96	97	98	99	100

Are any numbers colored with both colors?_____

Name them:______________________________

B. Color the numbers you hear when counting by 10. Color the numbers with a 9 in the ones place.

1	2	3	4	5	6	7	8	9	10
11	12	13	14	15	16	17	18	19	20
21	22	23	24	25	26	27	28	29	30
31	32	33	34	35	36	37	38	39	40
41	42	43	44	45	46	47	48	49	50
51	52	53	54	55	56	57	58	59	60
61	62	63	64	65	66	67	68	69	70
71	72	73	74	75	76	77	78	79	80
81	82	83	84	85	86	87	88	89	90
91	92	93	94	95	96	97	98	99	100

Name the shape you colored:

How many ways can dominoes make 17?
Draw the dominoes in the spaces below.
Are there more ways?

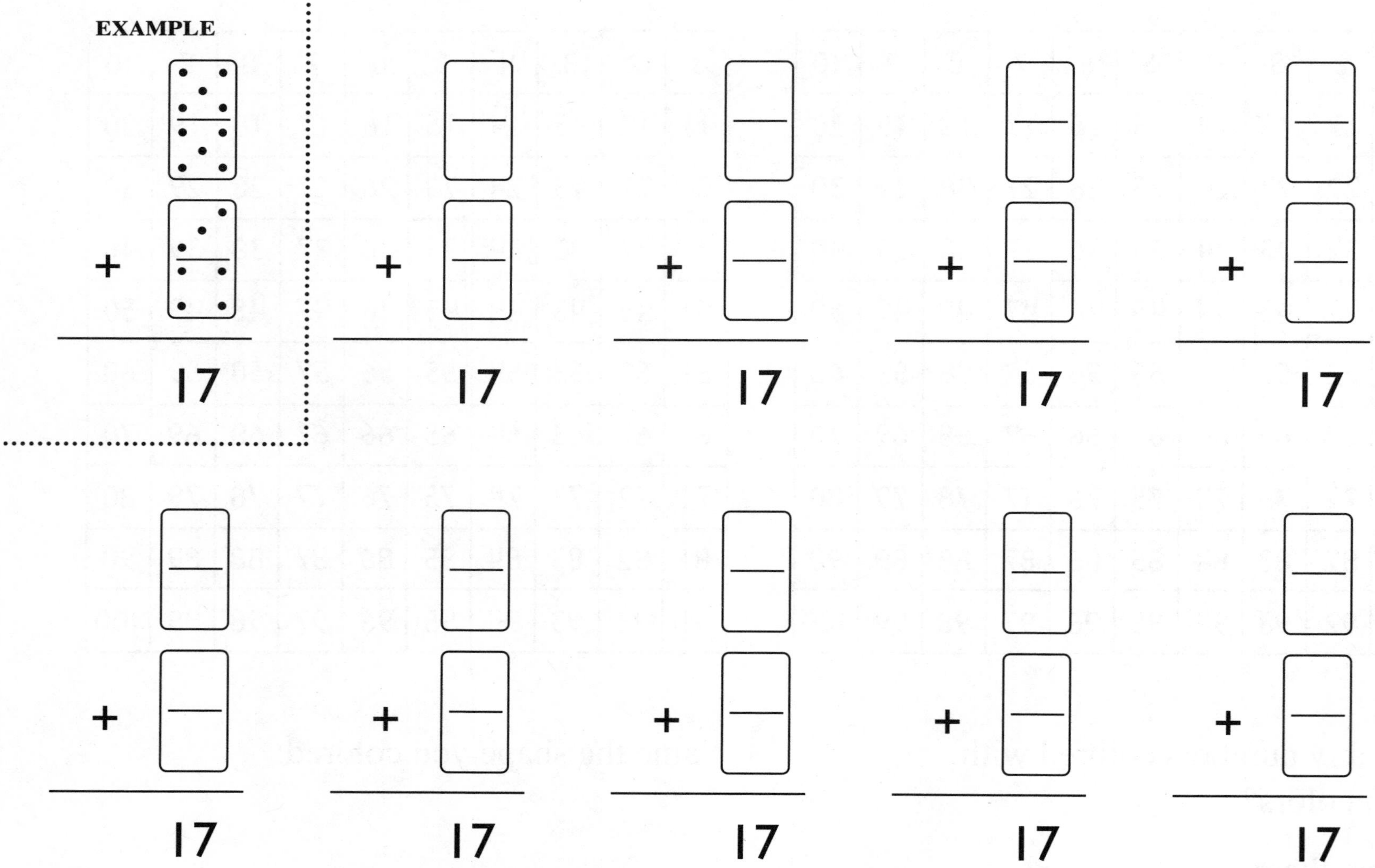
EXAMPLE
+
17
+
17
+
17
+
17
+
17
+
17
+
17
+
17
+
17
+
17

A. Color the odd numbers blue.
Color the numbers between 20 and 30 yellow.

B. Color the numbers between 1 and 30 with a 5, 6, or 7 in the ones place.

1	2	3	4	5	6	7	8	9	10
11	12	13	14	15	16	17	18	19	20
21	22	23	24	25	26	27	28	29	30
31	32	33	34	35	36	37	38	39	40
41	42	43	44	45	46	47	48	49	50
51	52	53	54	55	56	57	58	59	60
61	62	63	64	65	66	67	68	69	70
71	72	73	74	75	76	77	78	79	80
81	82	83	84	85	86	87	88	89	90
91	92	93	94	95	96	97	98	99	100

1	2	3	4	5	6	7	8	9	10
11	12	13	14	15	16	17	18	19	20
21	22	23	24	25	26	27	28	29	30
31	32	33	34	35	36	37	38	39	40
41	42	43	44	45	46	47	48	49	50
51	52	53	54	55	56	57	58	59	60
61	62	63	64	65	66	67	68	69	70
71	72	73	74	75	76	77	78	79	80
81	82	83	84	85	86	87	88	89	90
91	92	93	94	95	96	97	98	99	100

Are any numbers colored with both colors?_____

Name them:____________________________

Name the shape you colored:

How many ways can dominoes make 16?
Draw the dominoes in the spaces below.
Are there more ways?

EXAMPLE

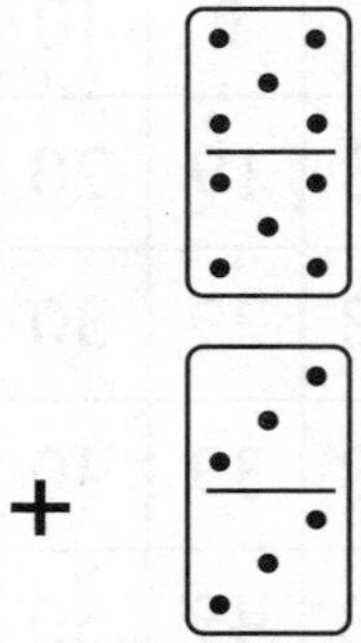

16

+	+	+	+
16	16	16	16

+	+	+	+	+
16	16	16	16	16

A. Color the numbers you hear when counting by 5 red. Color the numbers less than 20 blue.

1	2	3	4	5	6	7	8	9	10
11	12	13	14	15	16	17	18	19	20
21	22	23	24	25	26	27	28	29	30
31	32	33	34	35	36	37	38	39	40
41	42	43	44	45	46	47	48	49	50
51	52	53	54	55	56	57	58	59	60
61	62	63	64	65	66	67	68	69	70
71	72	73	74	75	76	77	78	79	80
81	82	83	84	85	86	87	88	89	90
91	92	93	94	95	96	97	98	99	100

Are any numbers colored with both colors?_____

Name them:___________________________

B. Color the numbers between 30 and 90 with a digit less than 6 in the ones place.

1	2	3	4	5	6	7	8	9	10
11	12	13	14	15	16	17	18	19	20
21	22	23	24	25	26	27	28	29	30
31	32	33	34	35	36	37	38	39	40
41	42	43	44	45	46	47	48	49	50
51	52	53	54	55	56	57	58	59	60
61	62	63	64	65	66	67	68	69	70
71	72	73	74	75	76	77	78	79	80
81	82	83	84	85	86	87	88	89	90
91	92	93	94	95	96	97	98	99	100

Name the shape you colored:

How many ways can dominoes make 15?
Draw the dominoes in the spaces below.
Are there more ways?

EXAMPLE

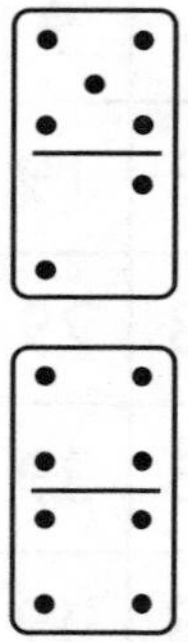

+

15

+

15

+

15

+

15

+

15

+

15

+

15

+

15

+

15

+

15

A. Color the 2-digit numbers blue. Color the numbers greater than 95 yellow.

1	2	3	4	5	6	7	8	9	10
11	12	13	14	15	16	17	18	19	20
21	22	23	24	25	26	27	28	29	30
31	32	33	34	35	36	37	38	39	40
41	42	43	44	45	46	47	48	49	50
51	52	53	54	55	56	57	58	59	60
61	62	63	64	65	66	67	68	69	70
71	72	73	74	75	76	77	78	79	80
81	82	83	84	85	86	87	88	89	90
91	92	93	94	95	96	97	98	99	100

Are any numbers colored with both colors?_____

Name them:______________________________

B. Color the numbers greater than 10 with 2 of the same digit. Color the numbers greater than 20 with the sum of the digits equal to 9.

1	2	3	4	5	6	7	8	9	10
11	12	13	14	15	16	17	18	19	20
21	22	23	24	25	26	27	28	29	30
31	32	33	34	35	36	37	38	39	40
41	42	43	44	45	46	47	48	49	50
51	52	53	54	55	56	57	58	59	60
61	62	63	64	65	66	67	68	69	70
71	72	73	74	75	76	77	78	79	80
81	82	83	84	85	86	87	88	89	90
91	92	93	94	95	96	97	98	99	100

Name the shape you colored:

How many ways can dominoes make 14?
Draw the dominoes in the spaces below.
Are there more ways?

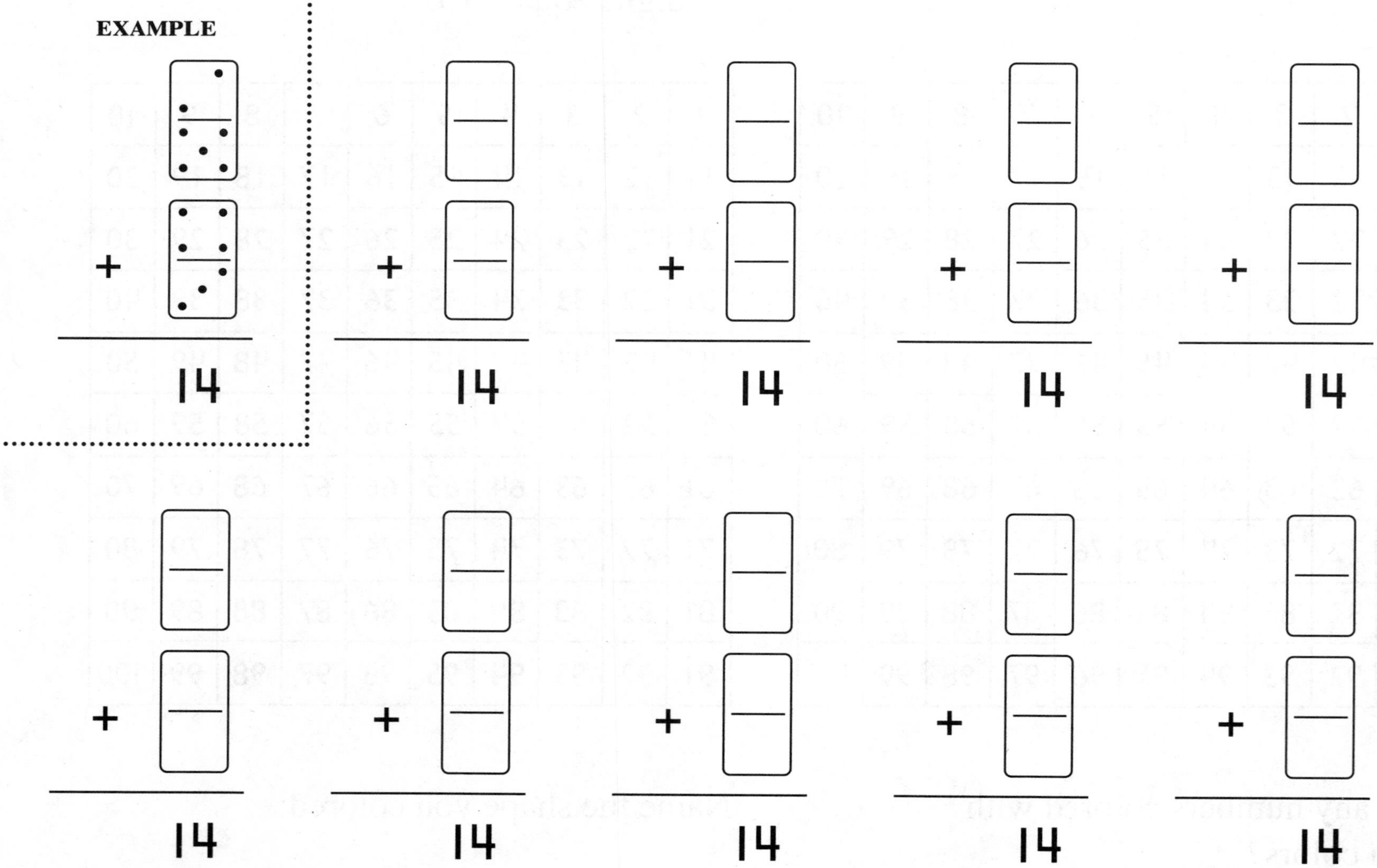
EXAMPLE
+
14
+
14
+
14
+
14
+
14
+
14
+
14
+
14
+
14
+
14

A. Color the numbers you hear when counting by 5 red. Color the numbers you do not hear when counting by 5 green.

1	2	3	4	5	6	7	8	9	10
11	12	13	14	15	16	17	18	19	20
21	22	23	24	25	26	27	28	29	30
31	32	33	34	35	36	37	38	39	40
41	42	43	44	45	46	47	48	49	50
51	52	53	54	55	56	57	58	59	60
61	62	63	64	65	66	67	68	69	70
71	72	73	74	75	76	77	78	79	80
81	82	83	84	85	86	87	88	89	90
91	92	93	94	95	96	97	98	99	100

Are any numbers colored with both colors?_____

Name them:___________________________

B. Color the numbers less than 85 with the sum of the digits equal to 8.

1	2	3	4	5	6	7	8	9	10
11	12	13	14	15	16	17	18	19	20
21	22	23	24	25	26	27	28	29	30
31	32	33	34	35	36	37	38	39	40
41	42	43	44	45	46	47	48	49	50
51	52	53	54	55	56	57	58	59	60
61	62	63	64	65	66	67	68	69	70
71	72	73	74	75	76	77	78	79	80
81	82	83	84	85	86	87	88	89	90
91	92	93	94	95	96	97	98	99	100

Name the shape you colored:

How many ways can dominoes make 13?
Draw the dominoes in the spaces below.
Are there more ways?

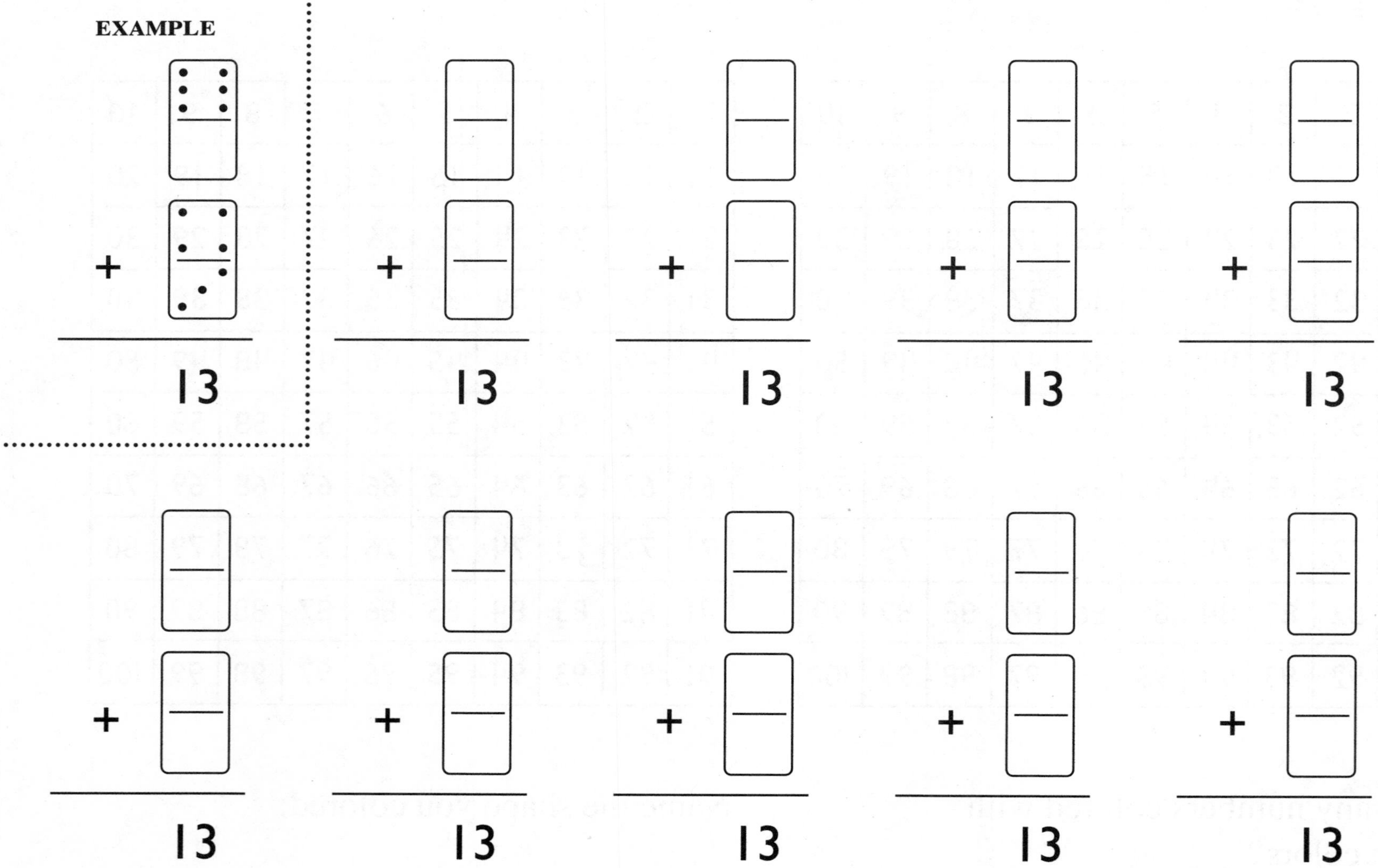

A. Color the numbers with the sum of the digits equal to 10 green. Color the numbers you hear when counting by 10 blue.

1	2	3	4	5	6	7	8	9	10
11	12	13	14	15	16	17	18	19	20
21	22	23	24	25	26	27	28	29	30
31	32	33	34	35	36	37	38	39	40
41	42	43	44	45	46	47	48	49	50
51	52	53	54	55	56	57	58	59	60
61	62	63	64	65	66	67	68	69	70
71	72	73	74	75	76	77	78	79	80
81	82	83	84	85	86	87	88	89	90
91	92	93	94	95	96	97	98	99	100

Are any numbers colored with both colors?_____

Name them:____________________________

B. Color the numbers with the sum of the digits between 14 and 16.

1	2	3	4	5	6	7	8	9	10
11	12	13	14	15	16	17	18	19	20
21	22	23	24	25	26	27	28	29	30
31	32	33	34	35	36	37	38	39	40
41	42	43	44	45	46	47	48	49	50
51	52	53	54	55	56	57	58	59	60
61	62	63	64	65	66	67	68	69	70
71	72	73	74	75	76	77	78	79	80
81	82	83	84	85	86	87	88	89	90
91	92	93	94	95	96	97	98	99	100

Name the shape you colored:

How many ways can dominoes make 12?
Draw the dominoes in the spaces below.
Are there more ways?

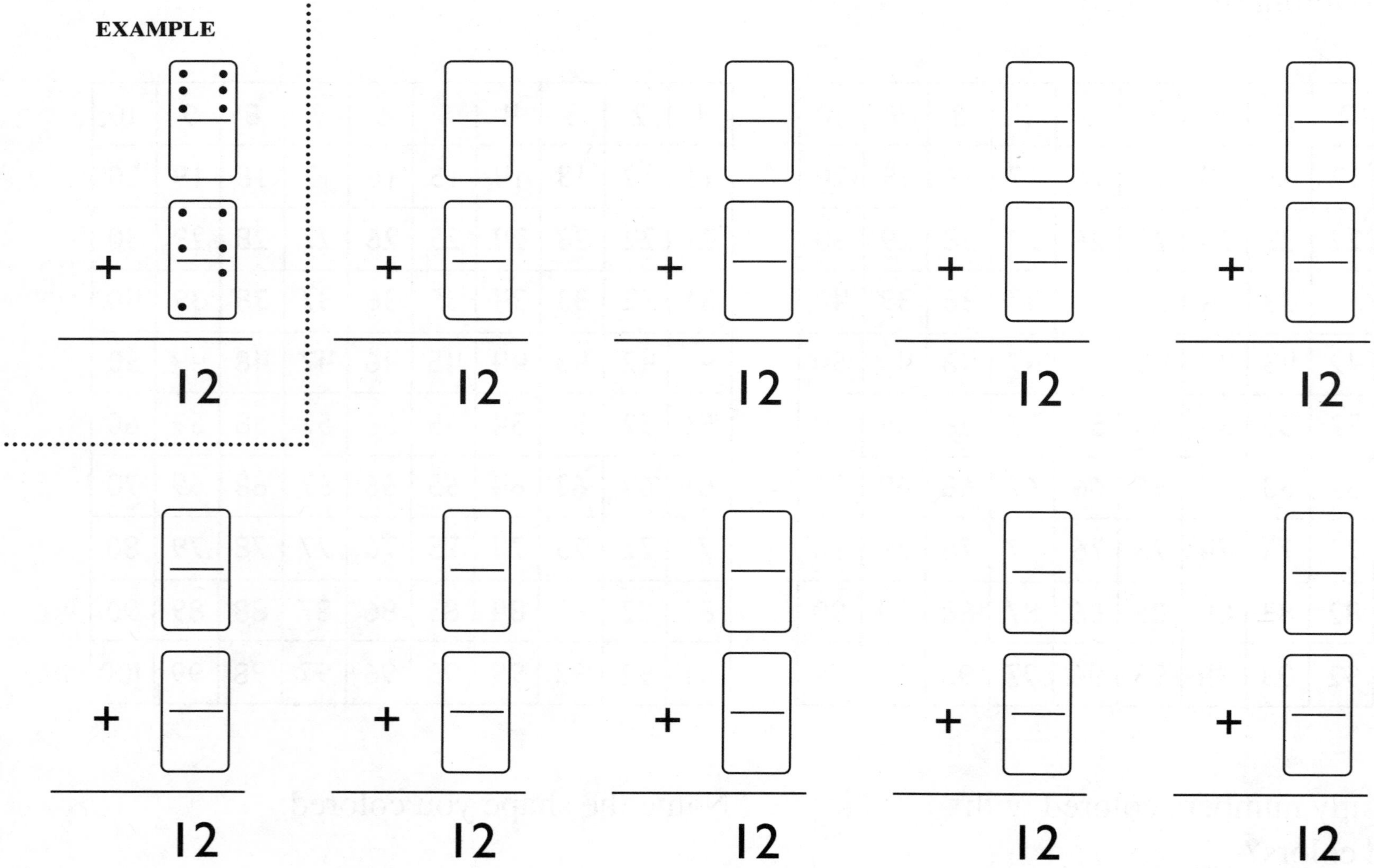

A. Color the numbers you hear when counting by 5 blue. Color the numbers greater than 90 red.

1	2	3	4	5	6	7	8	9	10
11	12	13	14	15	16	17	18	19	20
21	22	23	24	25	26	27	28	29	30
31	32	33	34	35	36	37	38	39	40
41	42	43	44	45	46	47	48	49	50
51	52	53	54	55	56	57	58	59	60
61	62	63	64	65	66	67	68	69	70
71	72	73	74	75	76	77	78	79	80
81	82	83	84	85	86	87	88	89	90
91	92	93	94	95	96	97	98	99	100

Are any numbers colored with both colors?_____

Name them:______________________________

B. Color the numbers with a digit between 3 and 7 in the ones place.

1	2	3	4	5	6	7	8	9	10
11	12	13	14	15	16	17	18	19	20
21	22	23	24	25	26	27	28	29	30
31	32	33	34	35	36	37	38	39	40
41	42	43	44	45	46	47	48	49	50
51	52	53	54	55	56	57	58	59	60
61	62	63	64	65	66	67	68	69	70
71	72	73	74	75	76	77	78	79	80
81	82	83	84	85	86	87	88	89	90
91	92	93	94	95	96	97	98	99	100

Name the shape you colored:

How many ways can dominoes make 11?
Draw the dominoes in the spaces below.
Are there more ways?

EXAMPLE

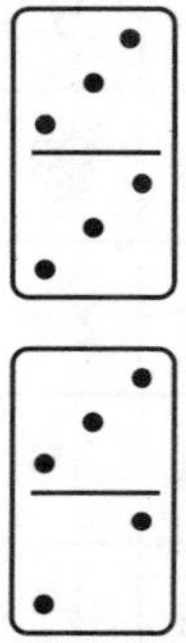

+

11

+

11

+

11

+

11

+

11

+

11

+

11

A. Color the 2-digit numbers with 1 even and 1 odd digit green. Color the numbers with 2 of the same digit red.

1	2	3	4	5	6	7	8	9	10
11	12	13	14	15	16	17	18	19	20
21	22	23	24	25	26	27	28	29	30
31	32	33	34	35	36	37	38	39	40
41	42	43	44	45	46	47	48	49	50
51	52	53	54	55	56	57	58	59	60
61	62	63	64	65	66	67	68	69	70
71	72	73	74	75	76	77	78	79	80
81	82	83	84	85	86	87	88	89	90
91	92	93	94	95	96	97	98	99	100

Are any numbers colored with both colors?_____

Name them:______________________________

B. Color the 2-digit numbers with both digits less than 3.

1	2	3	4	5	6	7	8	9	10
11	12	13	14	15	16	17	18	19	20
21	22	23	24	25	26	27	28	29	30
31	32	33	34	35	36	37	38	39	40
41	42	43	44	45	46	47	48	49	50
51	52	53	54	55	56	57	58	59	60
61	62	63	64	65	66	67	68	69	70
71	72	73	74	75	76	77	78	79	80
81	82	83	84	85	86	87	88	89	90
91	92	93	94	95	96	97	98	99	100

Name the shape you colored:

How many ways can dominoes make 10?
Draw the dominoes in the spaces below.
Are there more ways?

EXAMPLE

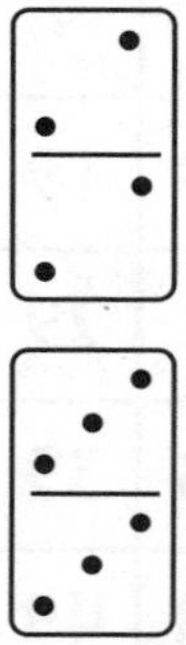

\+ 10

\+ 10

\+ 10

\+ 10

\+ 10

\+ 10

\+ 10

\+ 10

\+ 10

\+ 10

A. Color the numbers without a 6 or an 8 blue. Color the numbers with both 6 and 8 green.

1	2	3	4	5	6	7	8	9	10
11	12	13	14	15	16	17	18	19	20
21	22	23	24	25	26	27	28	29	30
31	32	33	34	35	36	37	38	39	40
41	42	43	44	45	46	47	48	49	50
51	52	53	54	55	56	57	58	59	60
61	62	63	64	65	66	67	68	69	70
71	72	73	74	75	76	77	78	79	80
81	82	83	84	85	86	87	88	89	90
91	92	93	94	95	96	97	98	99	100

Are any numbers colored with both colors?_____

Name them:____________________________

B. Color the numbers greater than 60 with the digit of the greatest value in the ones place.

1	2	3	4	5	6	7	8	9	10
11	12	13	14	15	16	17	18	19	20
21	22	23	24	25	26	27	28	29	30
31	32	33	34	35	36	37	38	39	40
41	42	43	44	45	46	47	48	49	50
51	52	53	54	55	56	57	58	59	60
61	62	63	64	65	66	67	68	69	70
71	72	73	74	75	76	77	78	79	80
81	82	83	84	85	86	87	88	89	90
91	92	93	94	95	96	97	98	99	100

Name the shape you colored:

How many ways can dominoes make 9?
Draw the dominoes in the spaces below.
Are there more ways?

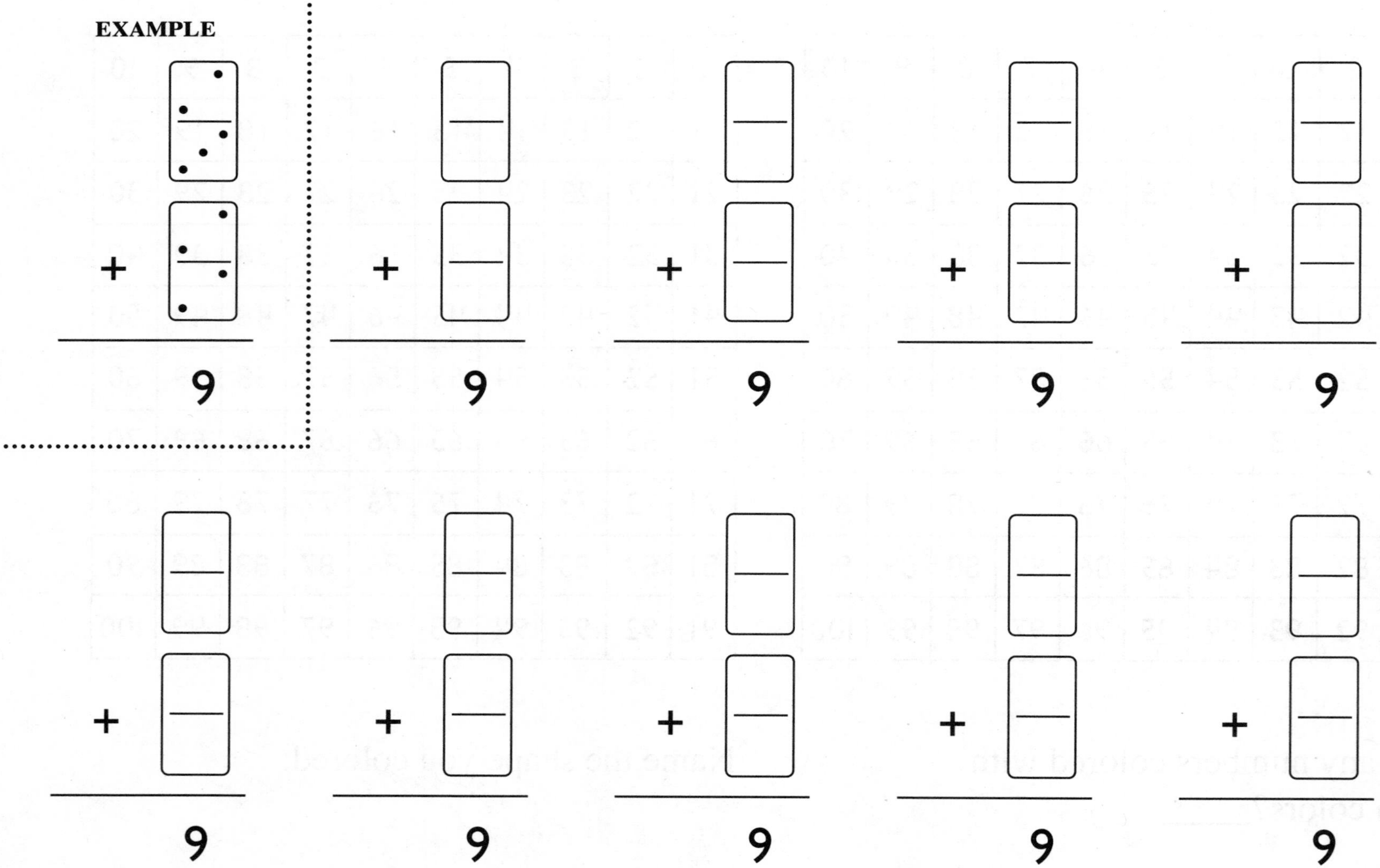

A. Color the numbers with 2 even digits red. Color the numbers with 2 of the same digit blue.

1	2	3	4	5	6	7	8	9	10
11	12	13	14	15	16	17	18	19	20
21	22	23	24	25	26	27	28	29	30
31	32	33	34	35	36	37	38	39	40
41	42	43	44	45	46	47	48	49	50
51	52	53	54	55	56	57	58	59	60
61	62	63	64	65	66	67	68	69	70
71	72	73	74	75	76	77	78	79	80
81	82	83	84	85	86	87	88	89	90
91	92	93	94	95	96	97	98	99	100

Are any numbers colored with both colors?_____

Name them:______________________________

B. Color the numbers less than 70 with the sum of the digits equal to 7.

1	2	3	4	5	6	7	8	9	10
11	12	13	14	15	16	17	18	19	20
21	22	23	24	25	26	27	28	29	30
31	32	33	34	35	36	37	38	39	40
41	42	43	44	45	46	47	48	49	50
51	52	53	54	55	56	57	58	59	60
61	62	63	64	65	66	67	68	69	70
71	72	73	74	75	76	77	78	79	80
81	82	83	84	85	86	87	88	89	90
91	92	93	94	95	96	97	98	99	100

Name the shape you colored:

How many ways can dominoes make 8?
Draw the dominoes in the spaces below.
Are there more ways?

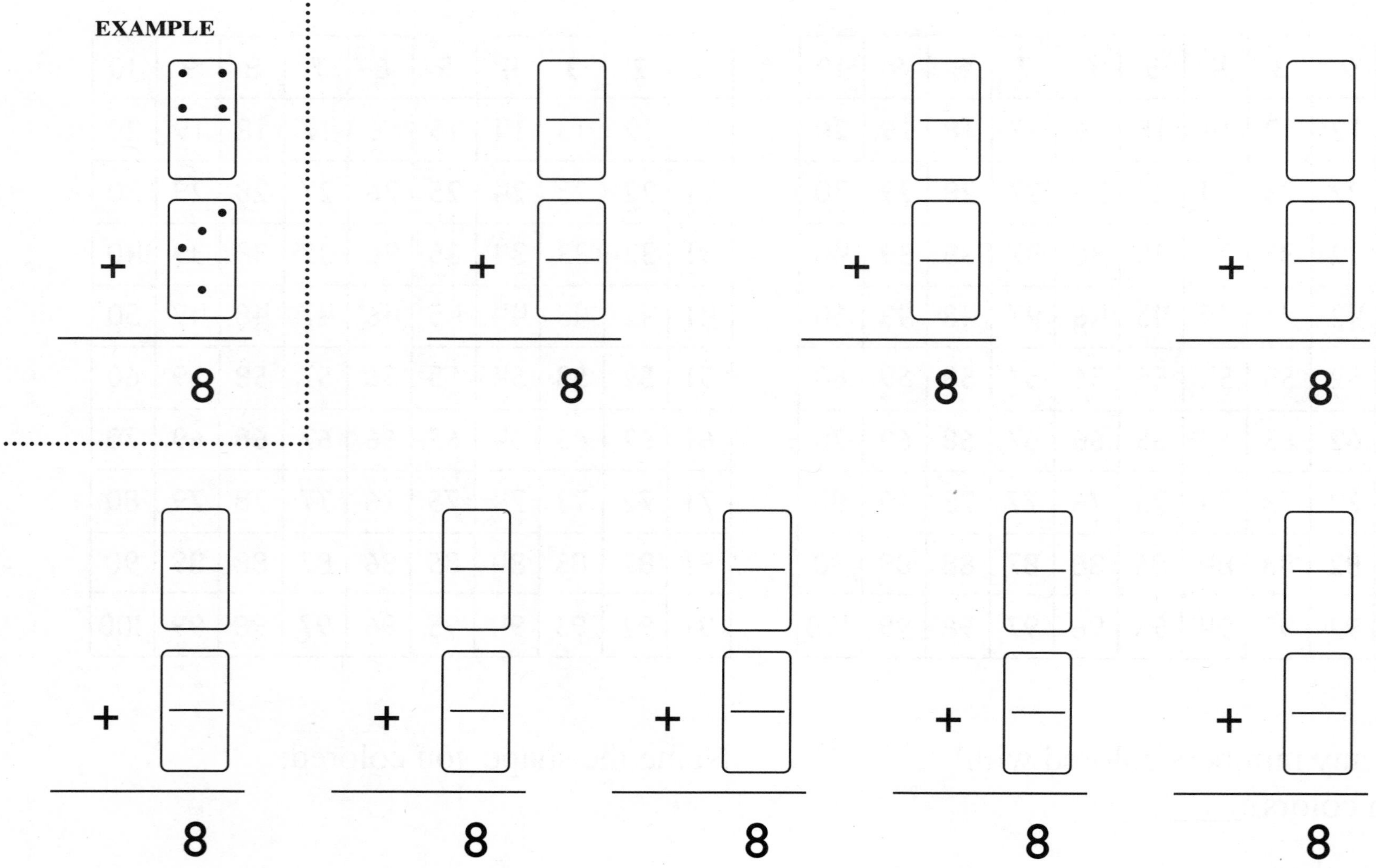
EXAMPLE
+
8
+
8
+
8
+
8
+
8
+
8
+
8
+
8
+
8

A. Color the numbers with the digits in the tens place greater than 6 blue. Color the numbers with 2 in the ones place yellow.

B. Color the 2-digit numbers less than 90 with a digit greater than 1 in the ones place.

1	2	3	4	5	6	7	8	9	10
11	12	13	14	15	16	17	18	19	20
21	22	23	24	25	26	27	28	29	30
31	32	33	34	35	36	37	38	39	40
41	42	43	44	45	46	47	48	49	50
51	52	53	54	55	56	57	58	59	60
61	62	63	64	65	66	67	68	69	70
71	72	73	74	75	76	77	78	79	80
81	82	83	84	85	86	87	88	89	90
91	92	93	94	95	96	97	98	99	100

1	2	3	4	5	6	7	8	9	10
11	12	13	14	15	16	17	18	19	20
21	22	23	24	25	26	27	28	29	30
31	32	33	34	35	36	37	38	39	40
41	42	43	44	45	46	47	48	49	50
51	52	53	54	55	56	57	58	59	60
61	62	63	64	65	66	67	68	69	70
71	72	73	74	75	76	77	78	79	80
81	82	83	84	85	86	87	88	89	90
91	92	93	94	95	96	97	98	99	100

Are any numbers colored with both colors?_____

Name them:___________________________

Name the shape you colored:

How many ways can dominoes make 7?
Draw the dominoes in the spaces below.
Are there more ways?

EXAMPLE

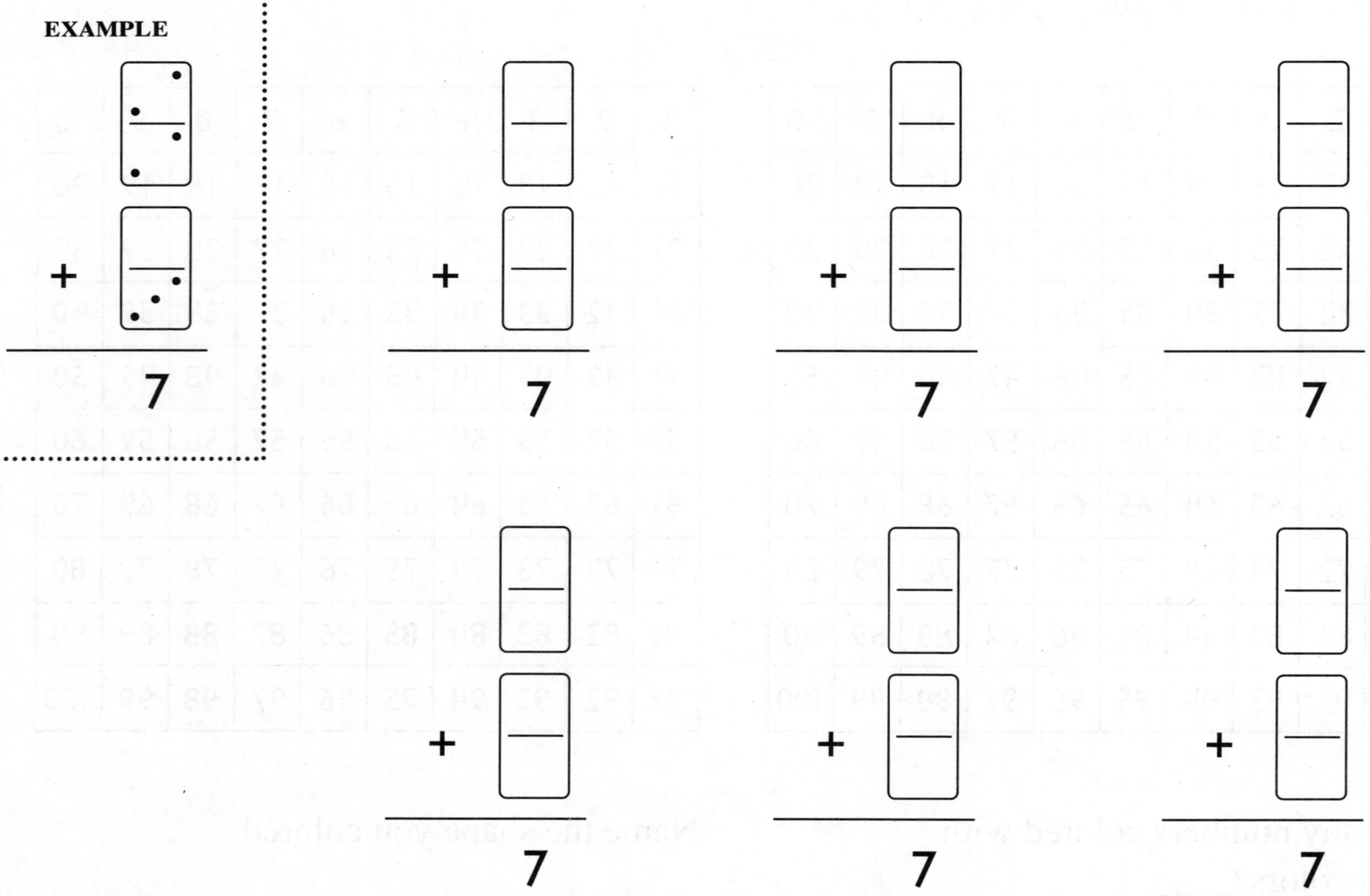